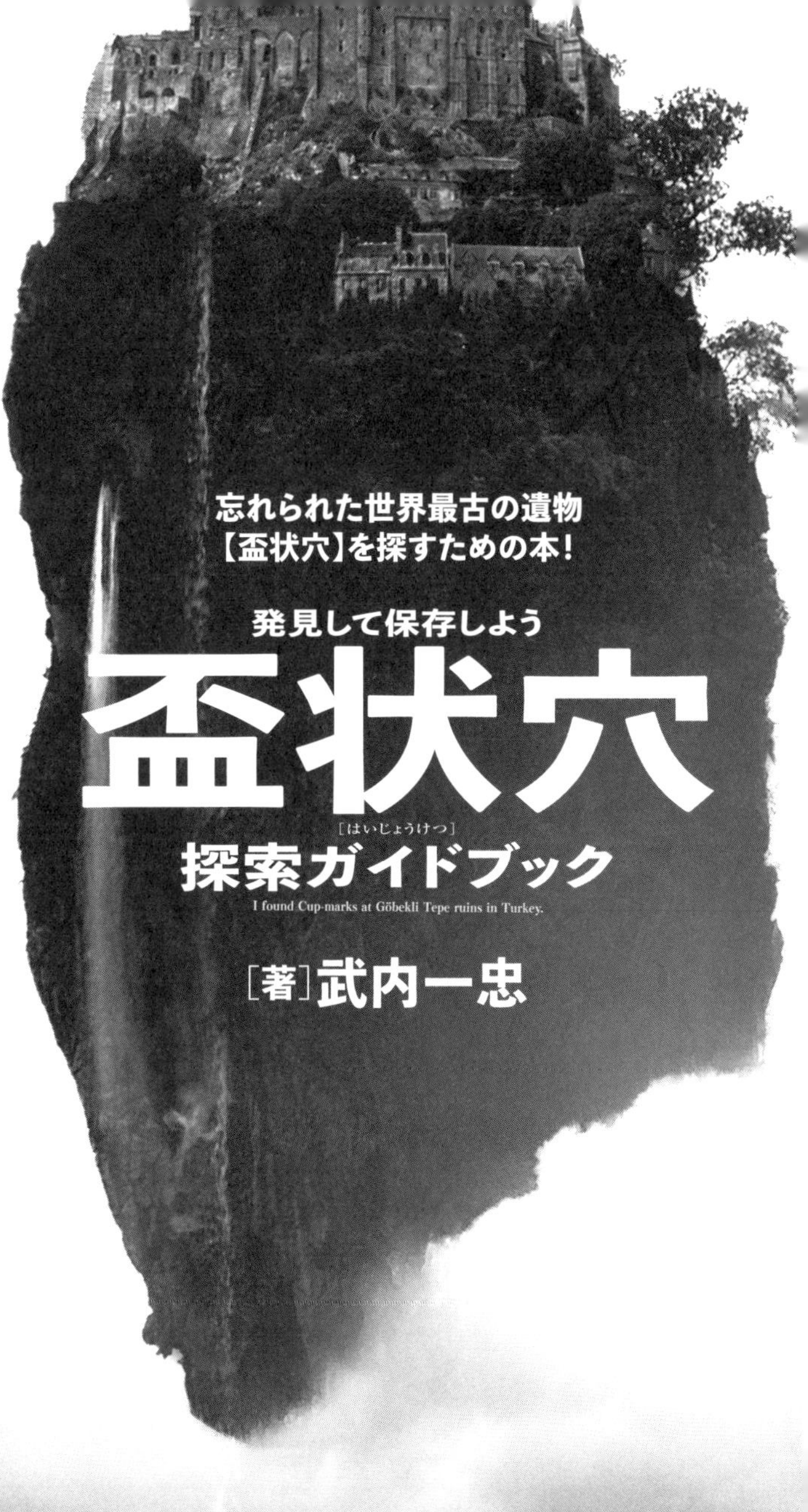

忘れられた世界最古の遺物
【盃状穴】を探すための本!

発見して保存しよう

盃状穴《はいじょうけつ》探索ガイドブック

I found Cup-marks at Göbekli Tepe ruins in Turkey.

［著］武内一忠

I found Cup-marks at Göbekli Tepe ruins in Turkey.

それは、２０１８年にギョベクリテペ遺跡が世界文化遺産として登録され、全世界に報じられた。その時、最初に映し出された遺跡の石柱の天井に、なんと無数の盃状穴《はいじょうけつ》が刻まれているのを見てしまった。一瞬のことであった。

その後、サイトから資料を取り寄せると、やはり数本の石柱の天井に無数の盃状穴が確認できる。でもなぜ、世界の研究者は気づかないのか。盃状穴の歴史的見解は、アメリカ岩石芸術学会で議論されていた。しかし、盃状穴の歴史的価値にまだ、多くの人は気づいていないということか。

私は、この30年間盃状穴を巨石文化の決め手と感じ、海洋民族が運んだ巨石文明というハーバード大学のバリー・フェル教授の指摘通り、海洋民族の祭祀のツールと見て追究してきた。日本の九州・阿蘇・天草を中心に多くの盃状穴を見つけ、分類することにより、古代海洋民族と山に住む縄文人との水による交流や、その後地域を制する為政者とのいきさつなど数多くの歴史情報がこの盃状穴からわかるのである。

今、私が確認するだけでも、アイルランド、スコットランド、英国、フランス、アメリカ、ハワイ、イースター島、タヒチ、そして日本。そこに今回ギョベクリテペ遺跡があげられる。そこに新たに、メソポタミア文明最盛期のハンムラビ時代の印筒円章の粘土板のレリーフに盃状穴を踏みつけているシャマシュ（太陽神）の絵を見つけた。

このことは、1万年前にすでに、ユーフラテス川の上流地帯と河口のシュメールを通りアジア、ミクロネシアへと続く海洋民族の航路があり、シュメールの三大海洋民族といわれたマカン族（他にプント、ディルムン）が、その後継者であることを意味する。それこそ６０００年前の世界に真水を届けた海洋民族ラピュタだったのだ。

２０２３／12／６

武内一忠

目次

カバーデザイン　森瑞（4Tune Box）
校正　麦秋アートセンター
本文仮名書体　文麗仮名（キャップス）

盃状穴という超古代からの贈り物

歴史を学ぶ中で、何万年もの間不変の形状を持つものがあっただろうか。世界では、巨石文化を歴史のメジャーと考えているが日本では文科省も日本考古学会も巨石文化を学問の対象としていない。UNESCOが主催する巨石文化学会、IFRAO（世界岩石芸術機構）などに日本の学者は一切参加していないのだ。なので日本に多く残る巨石文化は文化財に認められることなく、路傍の石のように壊され捨てられてきた。

日本には磐座《いわくら》信仰が多い。それは日本が1億年前の花崗岩の島であるからだ。それも7300万年前の惑星衝突により、世界は3000m級の津波に襲われ、白亜紀の恐竜や巨木の森が一気に地球の裏へと押し込まれた。ジュラ紀に創生された不透水性の花崗岩の地表は襞《ひだ》をなしながら折れ曲がっていった。その襞の谷間に沈んだ恐竜たちは、今化石となって各地で発見されている。また、この時代に欠かせない石油は、その時地球の裏で積み上がった白亜紀の巨木の産物なのです。それはそれは膨大な量の流木が今のサウジの砂漠の下に石油となって沈んでいる。

津波が何年も続いたことでしょう。それも収まり海に太陽が当たり、海が平静を取り戻すと、太平洋に現れた日本列島が日本海溝マリアナ海溝の縁に立ち上がった。花崗岩の地表はめくれ上がり、三角に尖った山々が続き、そこからはジュラ紀の層の上に溜まった石清水が滾々と湧いていた。奇跡の島の始まりです。

海洋民族ラピュタが神奈備《かんなび》型の山を海から目指したのは、そこには石清水が湧き、腐らない真水があることを知っていたからです。

海洋民族が世界に残した大事な祭祀の様式がある。それは岩や石板に刻んだ盃状穴という穴。手のひら大を基本とする盃のように丸く穴を刳《ほじ》る。アメリカ岩石芸術学会によると、アメリカでも２万５０００年前ごろから確認できるという。しかし何を目的に刻んだかは不明で、多分何かの祭祀様式であることは間違いないといわれている。地中海の海洋民族には、その穴に子供の臍の緒を入れ、蓋をして成長を祈願をするという風習がある。これは世界各地にみられるかと思う。

巨石文化は海洋民族が運んだ文化であるという定説のように、盃状穴も古代世界の祀りの場や神殿にみられる。日本、特に九州では各地の神社や水源で見られるが、その様子は場所によってかなりの違いがある。このことに20年ほど前に気づき、私なりの分類を続けてきた。そしてわかったことを基に考察すると、その地域の住民、先住民と後でできた為政者との確執や歴史の変遷までも垣間見えてくるのです。単純な穴一つではあるのですが、主張がはっきりとしていて意味を持っていることがよくわかる。盃状穴自体は2、3万年の年月を経ているのですが、形は変わることなく刻まれている。しかし制作方法などは判明していない。

この不変の形の盃状穴を追うことは、紛れもなく超古代までその存在をたどれるし、古代人の思い、祈りの声が聞こえてくるかもしれない。

盃状穴はペトログリフの仲間です。

しかも、起源を約2万5000年もの昔にたどる最も古いペトログリフなのです。

神社の階段や蹲《つくばい》、灯籠の台座などに丸く刳られた穴。見るからに不思議な雰囲気を醸し出している。しかし、それが何を意味しているか、何のためにつくられたか誰も知る人はいない。

時々、昔おじいさんが子供のときに、爪染草を入れて石でつぶして遊んでいたよ。とかいう人がいるが、その穴の開いた理由は知らない。

あるお宮の宮司さんに聞いてみたら、「あー、雨のしずくで穴が開いたのですよ」といわれた。花崗岩にしずくで穴を開けるには、1万年で1㎝とか学校で習ったような。もう笑うしかない。

私はアメリカの岩石芸術学会で、アリゾナの盃状穴の研究者から、盃状穴は2万5000年前から何かの祭祀に使われていたと聞いた。

私が見つけている盃状穴では、イースター島のオロンゴ遺跡のものが一番古く9000年程前と思えるものだった。しかし、それが2018年世界遺産になったギョベクリテペ遺跡のテレビ報道の映像に、突然盃状穴が無数に穿たれた神殿の柱が現れた。私はくぎ付けになった。でも、その報告はグラハム・ハンコックからもなされないままだ。

その後、TOLAND VLOGのサムさんと、シュメールの神天神アンの解説をしているとき、古代メソポタミアという写真文献を調べていて、気づいてしまった。太陽神シャマシュと羊たちが盃状穴岩を踏みつけ、破壊している図が描かれた、ハンムラビ時代の印筒円章の粘土板を見つけてしまった。約4000年前のものである。

盃状穴一つで、1万2000年前のギョベクリテペ遺跡からシュメールを通り、日本へ海洋民族ラピュタが盃状穴を運んでいたことが証明されるのだ。

盃状穴は物語る

2万5000年前の古代から何かの祭祀に使用されていた。というのが盃状穴という硬い石に刳られた穴である。やはり海洋民族が持ち運んだ巨石文明の一つ。ペトログリフとも区分されている。

ヨーロッパでは、イングランド島にはピクト族という先ケルトがいろいろな形を岩に刻んでいる。カップの周りに溝を彫るカップ&リングマークや螺旋形、数個のカップを輪で囲むもの、カップとカップを線で結ぶピコという命のペトログリフなどである。

地中海では、やはり海洋民族の中に盃状穴の中に臍《へそ》の緒を入れ、石の蓋をして命の祈願をするものもあった。この風習は日本にもあったが、世界共通のようだ。

日本、九州では天草有明海沿岸や阿蘇周辺の神社や水源で見かけるものだ。しかし、熊本の盃状穴を採取し分類していくといろいろと不思議な現象に出合う。特に、神社で見つかる盃状穴が、階段に彫られていたり、灯籠の台座、猿田彦大神の台座、蹲《つくばい》の縁や、石塔の裏などである。

最初のころは、盃状穴を探すのが面白く、ちょっと穴が開いていると、「あったあった」と喜んでいたが、多くは岩石が生成される過程でできる穴だったり、海で浸食された穴、サンドポットというものだったり、砂岩ではタフトという風穴だったりした。

30年も盃状穴とにらめっこしていると、なぜか盃状穴が語り掛けてくるのだ。ある時、巨石ハンターの須田郡司さんと出会う。私は天草の巨大ドルメンを発見したときでしたので、須田郡司さんを巨石に案内したりしてお話をするうちに、世界の海洋民族の巨石遺跡の写真を見せてくれた。その中に、イースター島のオロンゴ遺跡があった。石板の円形遺跡でその中の岩盤に鳥神のレリーフが刻まれている。

ちなみに天草の五和町に鬼の碁盤石という遺跡があり、そこには約3300年前のルーン文字が刻まれているが、その少し下流域に数個の円形石板遺跡を見つけていた。そこはその前の川底から多くの石刀などの旧石器の遺物が出ているところでもある。

イースター島は1万年からの文明といわれ、マオリ族がその祭祀を行っていた。マオリ海洋民族は麻の帆を発明し、麻のロープを作りアウトリガーを

オロンゴ遺跡

付けた帆船を操り、環太平洋を闊歩していた。星を見て航海する彼らは、オリオン星座の三つ星と天中を通るスバル星を信仰して、祭祀を行っていた。その神殿であるオロンゴの神殿の鳥神のレリーフはそのトーテムを刻んでいたのであろう。

ところが、その上に無数の盃状穴を見つけた。それは郡司さんの『聖なる石に出会う旅』という写真集の中のイースター島の写真の中だった。

私は、島原の千々石《ちぢわ》町の海岸の福石というエビス石の下の岩盤に、盃状穴を見つけていた。その福石は、垂仁天皇が晩年に「トキジクノカクノコノミ」を食べたいと言い、田道間守がそれを取りに常世国へ出かけ8年かけて帰ってきたとき、ここに漂着したという場所で、橘神社が祀られている。その海岸にある福石の盃状穴ということで、注目していたものだった。それが、イースター島のオロンゴ遺跡の盃状穴と酷似していた。

長崎県雲仙市　千々石海岸の福石

盃状穴の分類

古墳天板石

熊本県玉名市 年の神支石墓

熊本県熊本市植木町　横山鬼のいわや

熊本市植木町　鬼の窟の羨道天板

熊本県上益城郡益城町　鬼の窟

神社　階段

熊本県菊池郡大津町岩坂 甑神社

熊本市上南部　奈我神社

熊本県玉名郡玉東町　山北八幡宮

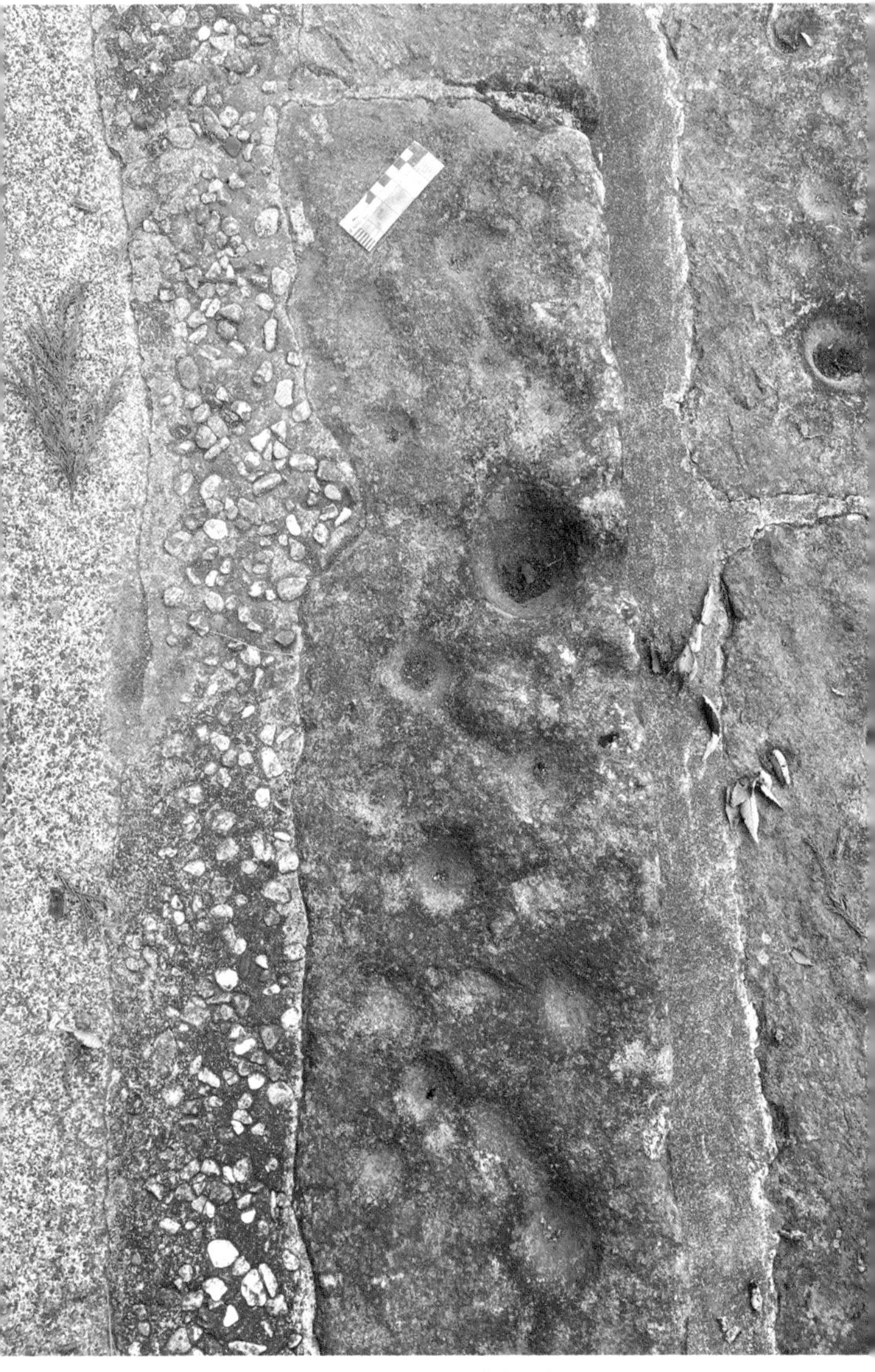

熊本県菊池郡菊陽町　蘇古鶴神社

熊本県宇城市豊野町　御手洗水源

熊本県人吉市　木上加茂神社

熊本県人吉市上青井町　青井阿蘇神社

熊本県菊池郡大津町矢護川　初生神社

熊本県八代市　河童渡来の地

熊本県上益白郡御船町　辺田見若宮神社

鳥居台座　灯籠台座

福岡県飯塚市 大分八幡宮

熊本県八代市　鬼ノ岩屋５号墳

福岡県八女市　宮野熊野神社

福岡県筑後市水田　月読神社

熊本県菊池郡大津町多々良　淀姫神社

福岡県みやま市　蜘蛛塚古墳

福岡県朝倉市山田　恵蘇八幡宮

蹲の縁

福岡県宗像市　宗像大社

福岡県糸島市志摩津和崎　若宮神社

熊本県玉名郡玉東町　稲佐熊野座神社

福岡県大川市酒見　風浪宮

水源磐座

熊本県阿蘇市一の宮町北坂梨　塩井神社

熊本県宇城市　御手洗水源

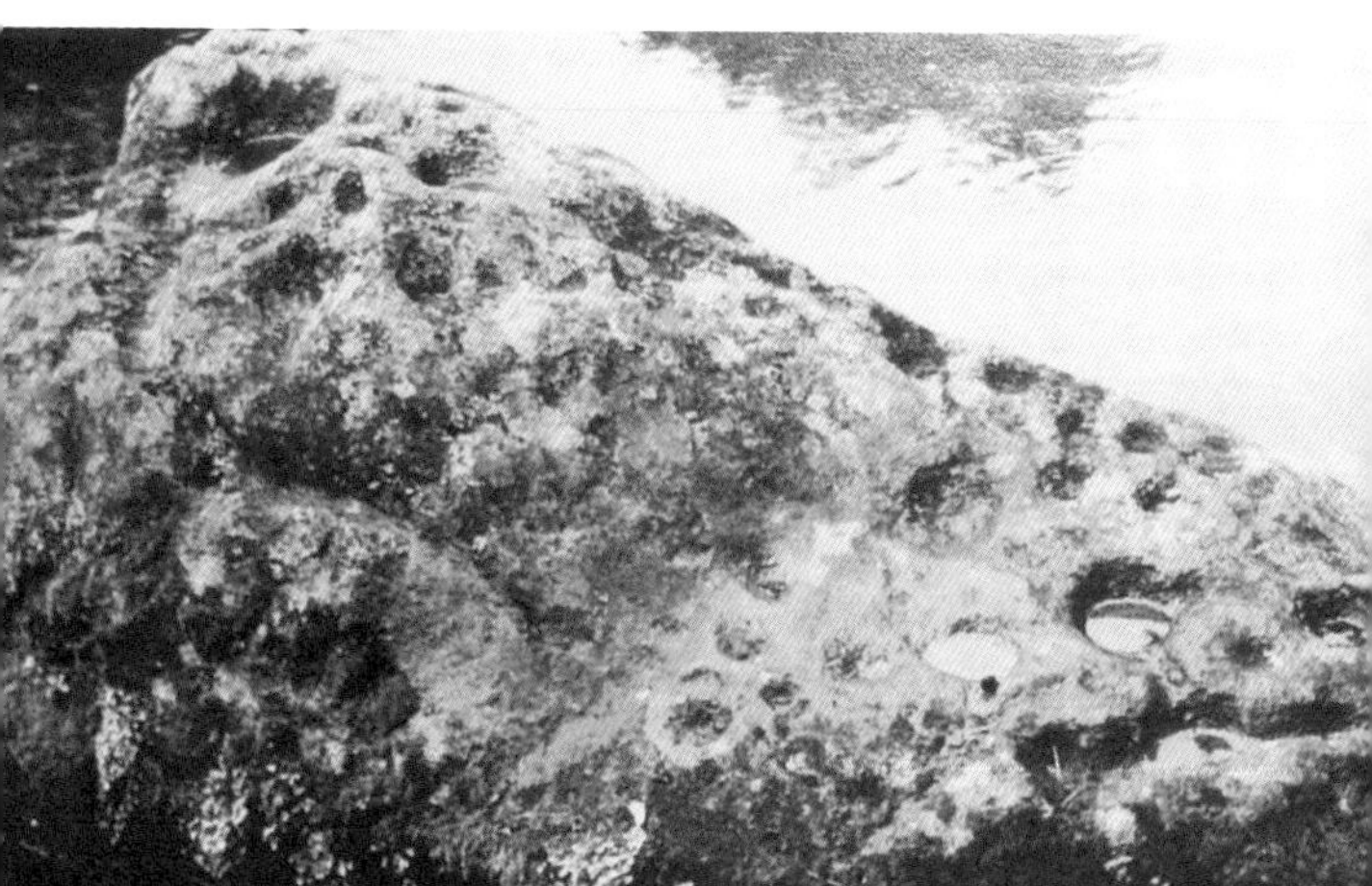

熊本県南阿蘇郡南阿蘇村　中二子石妙見神社の水源

施設物　橋の欄干

熊本県下益城郡美里町 霊台橋欄干　石橋のある村は古代から石工の里です。

石碑・石塔

熊本県山鹿市　庚申碑の裏面

熊本県菊池郡大津町岩坂　ガラン橋の地蔵

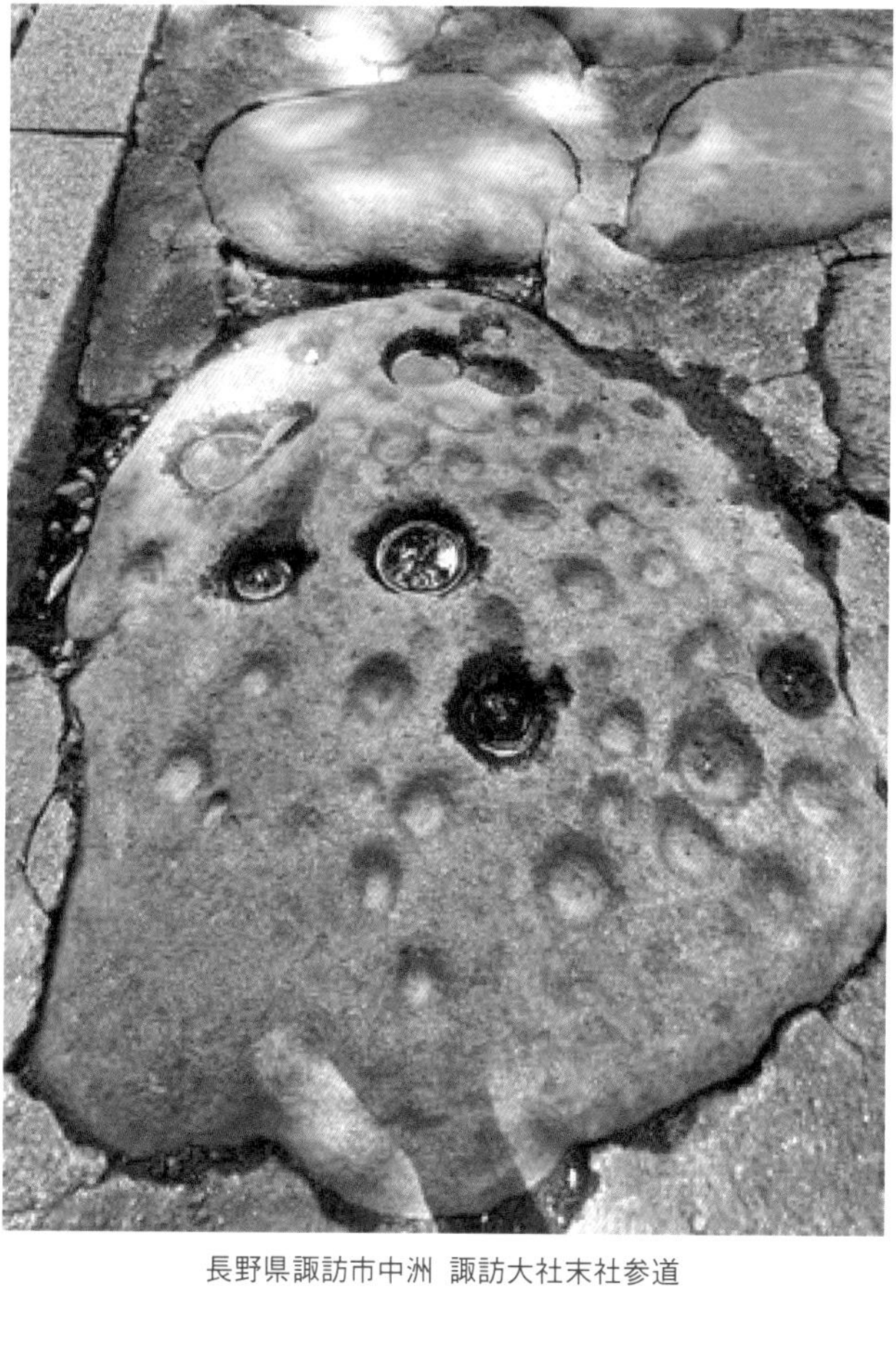

長野県諏訪市中洲 諏訪大社末社参道

宮崎県日向市美々津町　立磐神社

祠の天板

熊本県玉名市（旧岱明町）

熊本県阿蘇郡南阿蘇村久木野　久木野神社

熊本県八代市　隼人神社

祭器

熊本県熊本市下南部　七森神社境外

熊本県菊池市泗水町永　吉祥寺薬師堂

熊本県菊池市泗水町永　吉祥寺薬師堂の祭器の裏面

福岡県宗像市田島　宗像大社境内

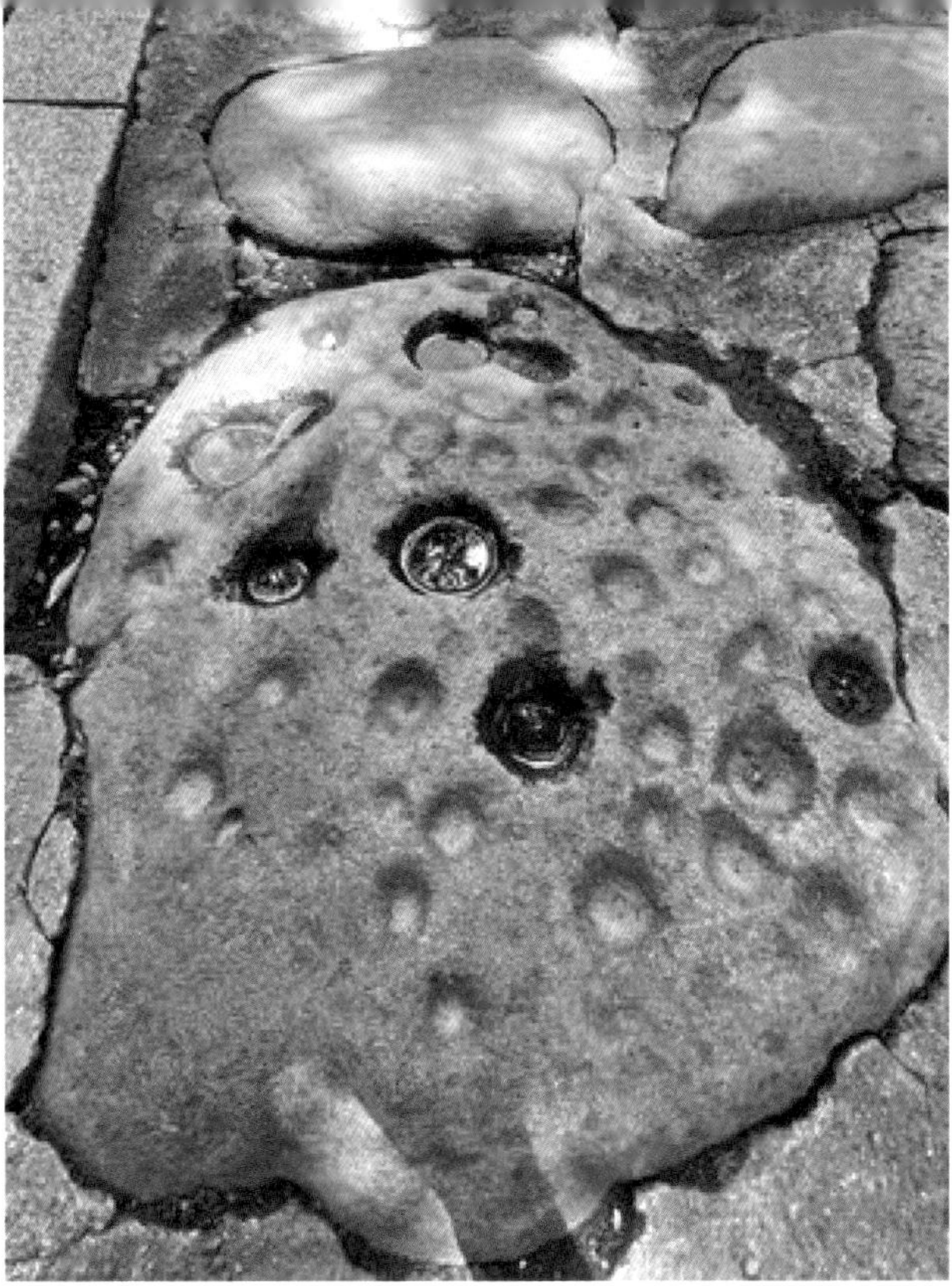

長野県諏訪市中洲　諏訪大社末社参道

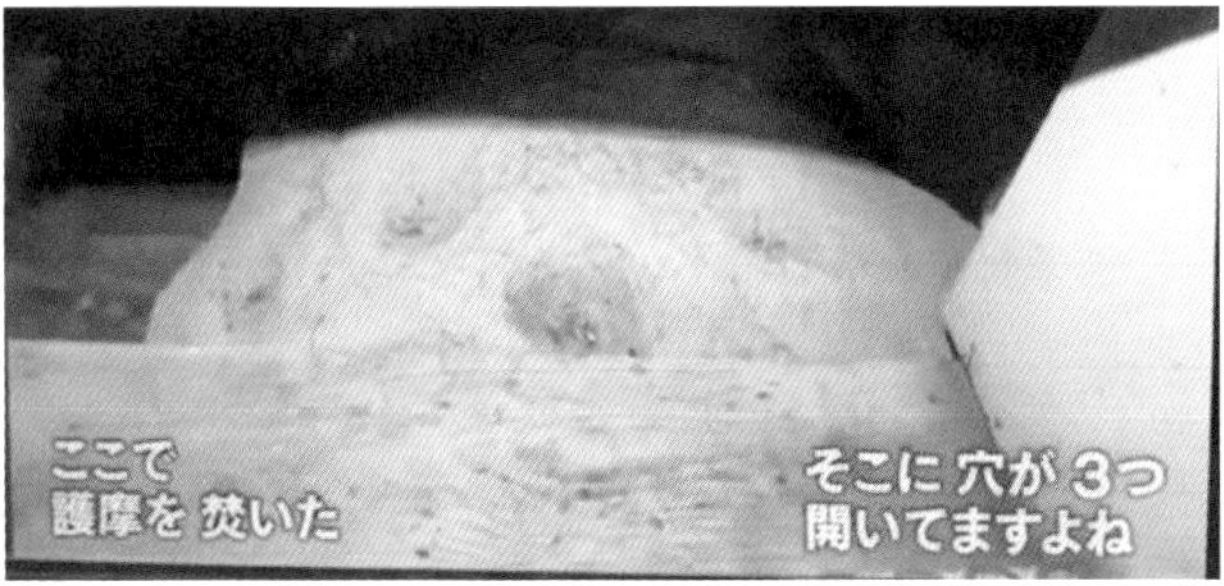
ここで
護摩を 焚いた
そこに 穴が 3つ
開いてますよね

富山県新川郡上市町　護摩堂の祭器

猿田彦碑の礎石

熊本県阿蘇郡南阿蘇村　上楢須バス停横

熊本県菊池郡大津町　錦野の猿田彦碑

熊本県熊本市上南部　奈我神社の猿田彦碑下の岩

海岸やマウンド丘の盃状穴岩

長崎県雲仙市　千々石海岸の福石

長崎県五島市福江町　水神社前の増田海岸

熊本県西原村　山の神

熊本県西原村 山の神ペトロの丘

世界の盃状穴

世界では盃状穴をCup-markと呼んでいる。そしてカップの外に輪の線刻を入れたCup & Ring markもある。熊本西原村の山の神のものがそれだ。

スコットランド　バリーミィノフ村

ウェールズ地方

アイルランド

イースター島オロンゴ神殿

スコットランド

トルコ　ギョベクリテペ遺跡

イングランドのカップ＆リング

アラスカのカップ＆リング

英国の盃状穴の作り方の想像図

盃状穴は古代石工の祭器

日本には祭りごとを行う神社神道、その後仏教、キリスト教といくつかの宗教がある。しかしそのどれにも所属しない祭祀様式祭器が存在する。その一つが盃状穴の磐座である。しかし、これほど多くの盃状穴が存在するのに誰もその正体を知らない。大正時代に建て直しがあった村社や郷社にも、その蹲に盃状穴が刻まれている。しかし、それを知っている古老の住人に出会わないどころか、子供のとき、爪染草の花を入れて遊んでいたなどの話を聞く。花崗岩の石に深さ5㎝直径8～10㎝の盃状の穴を刳るには相当の年季がいると思うのだけど、誰も知らない。

要するに、この盃状穴を祀って使用した石工や鉄器の集団は、山の民、古くは穴師といい垂仁天皇期あたりまで遡る。古事記外巻の垂仁記《すいにんき》に「穴師は鍛冶、鉄器を作る鍛冶は古《いにしえ》の王、戦いに敗れし時は山野に下って鬼となる。また、征服者に従う道もある」とある。垂仁天皇のときに、もうすでに古の王と呼ばれていた。垂仁期が紀元ごろとすると古といえば3000年前くらいになる。出雲の国造りにすでに穴師・石工鉄器の集団がいたことをいっている。彼らは、別の呼び方をすると、ナガスネヒコ・アラハバキ・クマソであろうが、この石工鉄器の集団はもともとケルトの一団だったはず。特に熊本は熊襲ケルトの本拠地であったのだろう。阿蘇という火山を背景に、金、銅、多々良などの鉱山鉱物が豊富であるし、真水があり、高木が多く海洋民族の需要を十分満たしていた。

巨石文化・ペトログリフから歴史が見える

　世界の巨石文化は、「海洋民族が運んだ文化である。古いものほど大きく、重く、硬い」とハーバード大学バリー・フェル教授が、1965年UNESCOのIFRAO（世界岩石芸術機構）で提唱した。以来、1965年を起点にBPという年号で古代を表すことになった。また、「Ancient One World」も同時に提唱され喝采を受けた。

　私の巨石文化への傾倒は、このバリー・フェル教授のこの提唱に共感したからでもあるし、私が1993年にアメリカ岩石芸術学会で、阿蘇の押戸石山遺跡と熊本市の拝み石山遺跡の発見事例を発表したとき、学会で知り合ったドン・スミサナ博士が、病気で入院中のバリー・フェル博士を見舞いに行くから一緒に行こうと誘っていただいた。なんという偶然の出会いだろう。勇躍して、博士が入院されているサンディエゴへ出かけた。しかし、私は病室に入ることはできなかったが、博士の意思を強く心に刻む機会となった。
また、私と同じ郷土出身の日本地名学会名誉会長でいらした谷川健一先生の最終講演が郷里の熊本大江公民館であった。その時言われた「地名は民族の5000年の出自を現す、そして嘘をつかない」これは私のフィールドワークの自信と確信になった。

私は、この二氏の発想から古代の探求を考えた。まず、一番大事な要件は海洋民族である。海洋民族が巨石文化を運んだ。巨石文化は日本でも1万年を遡れる。その時代は石器の時代で紙や机などない、鉄器がまだないので木を切っても板はできない。でもこの時代は世界でスレートカルチャー石板文化時代で石板の遺跡が各地で見られた。そこに盃状穴のヒントがあるようにも思える。

海洋民族は、海の上で過ごす時間が長い。最も必要なものは水であろう。彼らは海から山を見て形のいい山へと河口から入ってくる。そして沢を登って源流へと到達し、その水が腐らない水とわかると、海から持ち上がった磐座を立てて山の神に感謝の祈りをささげた。また、彼らはその奥の森は神の庭でその頂上にそそり立つ磐座が、宇宙の神に水を分けてもらっていると思っていた。それは多分頂上に依りつく星に祈ったのであろうと想像する。

その観念は、後の海洋民族たちにずっと引き継がれる思想のような思いであっただろう。シュメール文明の中にも三大海洋民族ディルムン、プント、マカンという海洋民族がいる。また、その後継にフェニキアという、ヨーロッパの学者たちは「消えた謎の海洋民族」と呼んでいる海洋民族がいるが、彼らこそ日本にソロモン王の命を受け、金銀財宝を探しにきたエビス人であろう。旧約聖書にダビデの友人エヴィス人という記述があった。彼らは3000年前に海都ティルスのヒラム王らに命じられ大挙して、鉱山船タルシシ船を配し日本へと向かった。

ドイツの民族学者ゲルハルト・ヘルム氏は彼の著『フェニキア人』に、フェニキアは地名作り、名前作りの名人であると書いている。ならば彼らの記名法を見ると、出自の名前、また王の名前、それらに彼らの主神であるバール神の名を合わせること。一例に、ケルトの太陽神の子ハンという名にフェニキアの主神バールを合わせて「ハンニバル」と付けたとある。カルタゴ名将のハンニバルはケルトとフェニキアとの混血であった。

海洋民族は海から、河口を登って源流域へと入ってくる。フェニキア人はまず、水場を押さえる、そして鉱物を目指す。造船が最重要な要件であるので、造船用材の高木のある地帯などへと入植し、2，3年かけて仕事をする。その間、日本の縄文人とはより良い交流をするのが、エビス人の才覚。混血同化で地域に民族の居留の村ができていく。そして、そこに住む民族の名前が地名となり、次の渡来の拠点ともなっていったのであろう。

その代表的なフェニキア由来の地名

ツール（ヒラム王の海都）　鶴、都留、津留、舟津、原鶴、舞鶴、真鶴、鶴崎、津屋崎

ヒラム（バール神を祀る）　平野、平原、平野原、比良、比良松、福平、

比羅夫
ヘブライ（ソロモン王）　平井、伊武、辺春
シドム（レバノン杉を扱う造船）　志道原（シドンバル）
金属技術の神ガラム　ガラン・ガランビラ・ガランドヤ

盃状穴を残した民族の足跡（実地編）

岩坂の甑神社（大津町）

この岩坂は有明海から入る白川の一つしかない分流の分岐の村である。甑とは神輿が来ることを意味するお宮である。そして岩坂は「いやさか」の当て字で八坂すなわち新ヤマトがスサノオの威光で阿蘇に新勢力を持ち込もうとしていることを表す。

新ヤマトは、先住の石工や鉄鏃の山の民を服従させて山から下りてくるお宝、金銀鉄器などの占有権と源流の水利権などを狙っていた。それを実現するために、猿田彦という山の民の重要人物を懐柔して、山の民の酋長と話ができるものを最前列に押し立ててきた。山の民はもともと戦う部族ではない縄文人。やむなく従ったのであろう。そしてそこにヤマトの神輿が船から下りてきた。

そこで盃状穴は、山の民石工の技術の神ガラン神を祀るものだが、神社には階段として使われ、しかも踏み絵のように最上段に据えられている。また、立派な猿田彦大神の碑の台座に使われていた。

村を見て回ると、50ｍほど下流域にガラン橋があり「がらん橋」と看板があった。行ってみるとすぐ脇に榊を祀った道祖神がある。その丸石の横に立ててある石板を覗くと、なんと無数の盃状穴がある。そしてよく見ると丸石の上には、奉る＋が刻まれていた。村人は、今でもガラム神を盃状穴で祀るという意識を感じる（次頁以降写真）。

甑神社

猿田彦大神

岩坂の地蔵様

甑神社の階段

奈我神社（上南部町）

熊本東部白川沿いに鎮座する奈我神社。川に船着き場のような岩の集まりがあるが、以前はそちらに建てられたお宮であるらしい。しかし、山水が川に滝のように流れ落ちる景色は、水を求めて川を遡上した海洋民族たちにとっては宝物にも見えたでしょう。しかも落水の石には大きな窪みがあり、まさにナーガの目に見えたのだろう（86P以降写真）。その源に磐座を築きナーガ神に感謝の祈りをささげた。一帯には3万年前から先住の縄文人の旧石器が出てきたところでもある。おそらく共に水場を大事に祀っていたことだろう。

時代は過ぎて7世紀に、中大兄皇子が朝倉での母君斉明天皇の大嘗祭を終え、熊本のこの地へと訪れた。おそらく663年白村江への渡韓を控え、軍備の調達と傭兵となる阿蘇熊襲、菊池一族への召集の願いであったのだろうと思う。しかし、新羅と唐の15万の連合軍には1万2000の日本ではいかんせん敗北撤退を余儀なくされた。皇子は鹿児島へと追われているが、その後、天智天皇となった折に、この地を奈我神社と奉祝された。皇子はナーガの皇子である。アンコールワット同様石を積み上げた海洋民族の宮を祀った。それは盃状穴の存在が表している。

しかし、後の日本書紀編纂により神々の系譜が変えられた。天照大神以前にナーガ神がいてはいけない、しかし天智天皇が奉祝した宮。ナーガは蛇神であるので、海神竜神の娘の名を持つ乙姫をあてる。乙の字は蛇の象形文字でもあるので乙姫宮と変えたのであろう。

でも奈我の名は消せなかった。それは地元の先住の民の奥底にある思いがそうさせていると思う。最後に乙姫宮にしたヤマトは日本書紀によると、猿田彦命が瓊瓊杵尊を先導して各地を平定していったとなっている。それを示すかのように先住の祭祀様式である盃状穴の刻まれる岩などの上に、猿田彦命の碑を立て先住民に思い知らせている。

しかし、磐座の祭祀場と乙姫宮を並立させたお宮はここ以外にない。水の神ナーガを祀った中大兄皇子の人気がうかがえる。

船着場

海から持ち上げた磐座・磁気異常あり

左正面が乙姫宮、右がナーガの神殿

盃状穴のある岩の上の猿田彦碑

シュメールにもあった盃状穴

ハンムラビ時代の印筒円章の粘土板に盃状穴を発見。しかも牡羊たちが棒のようなもので盃状穴岩を壊そうとしている。また、太陽神シャマシュは足で踏みつけている。まさに熊本の各地で見られる猿田彦大神に踏みつけられる盃状穴岩に似ている。（89P写真）この粘土板は典型的なメソポタミア風動物モチーフも見られる。しかしその画も牡牛座から牡羊座への移行も見られるし、シュメールの神ウトゥをシャマシュと表していることは、アッシリア、バビロニア文明への移行も示唆している。

シュメール文明が芽生える遥か7000年前、今から1万2000年前。

右からシャマシュと奉納者、３人目はイシュタルと奉納者を呼び込む神・ハンムラビ時代の印筒円章

シャマシュが踏んでいるのは間違いなく盃状穴石である

上が猿田彦大神で下が盃状穴岩。（南阿蘇谷楢須）

ユーフラテス川上流地域のアナトリアで栄えたギョベクリテペ遺跡が世界遺産に登録された2018年に、テレビのニュース番組での報道を見ていたとき、突然気がついた。何本かの柱の頂上部分に無数の盃状穴が彫られている。しかも一本だけでなく、見えてる柱すべての頂点に盃状穴があった。

その柱には鳥のモチーフの鳥神が刻まれていた。そのモチーフはイースター島の鳥神と同じで、マヤやインカで神格化されているコンドルに似ていた。環太平洋を航行していたラピュタが運んだ巨石文化（ピクトグリフ）に違いない。しかもその建設をする石工たちもいて、独自に盃状穴を使って海洋民族の祭りを行っていたのだろう。そしてそのラピュタの海道はユーフラテス川河口で育ったシュメール文明にも根付き、マカン族としてアジアへの航路を確立していたのだろう。

4200年前のサルゴン1世に率いられるアッカドのシュメール殲滅によ

って、追われたウルとキシュの民はそのマカン族によって日本に運ばれてきた。それと同時に、石工や鉄器族の祈りの祭器の盃状穴が日本にも運ばれ、その昔からガラム神を祀る盃状穴岩が日本の各地に存在していたことだろう。

1万2000年前のギョベクリテペ遺跡に盃状穴

＊ギョベクリテペ遺跡の盃状穴と柱に描かれた鳥神と蠍
＊ギルガメッシュ叙事詩に描かれた蠍人間のモチーフがすでにここに描かれている

オリエントからアジアへの海流

ユーフラテス川河口のウル市（現バスラ）を出るとアラビア海、インド洋ベンガル湾インドネシアの海峡を過ぎシンガポールとフィリピン南海諸島を通り台湾から日本へと最短の海流がある。偏西風と貿易風をうまく使ったラピュタたちには、寄港地が多く得意の航路であったのだろう（94P参照）。

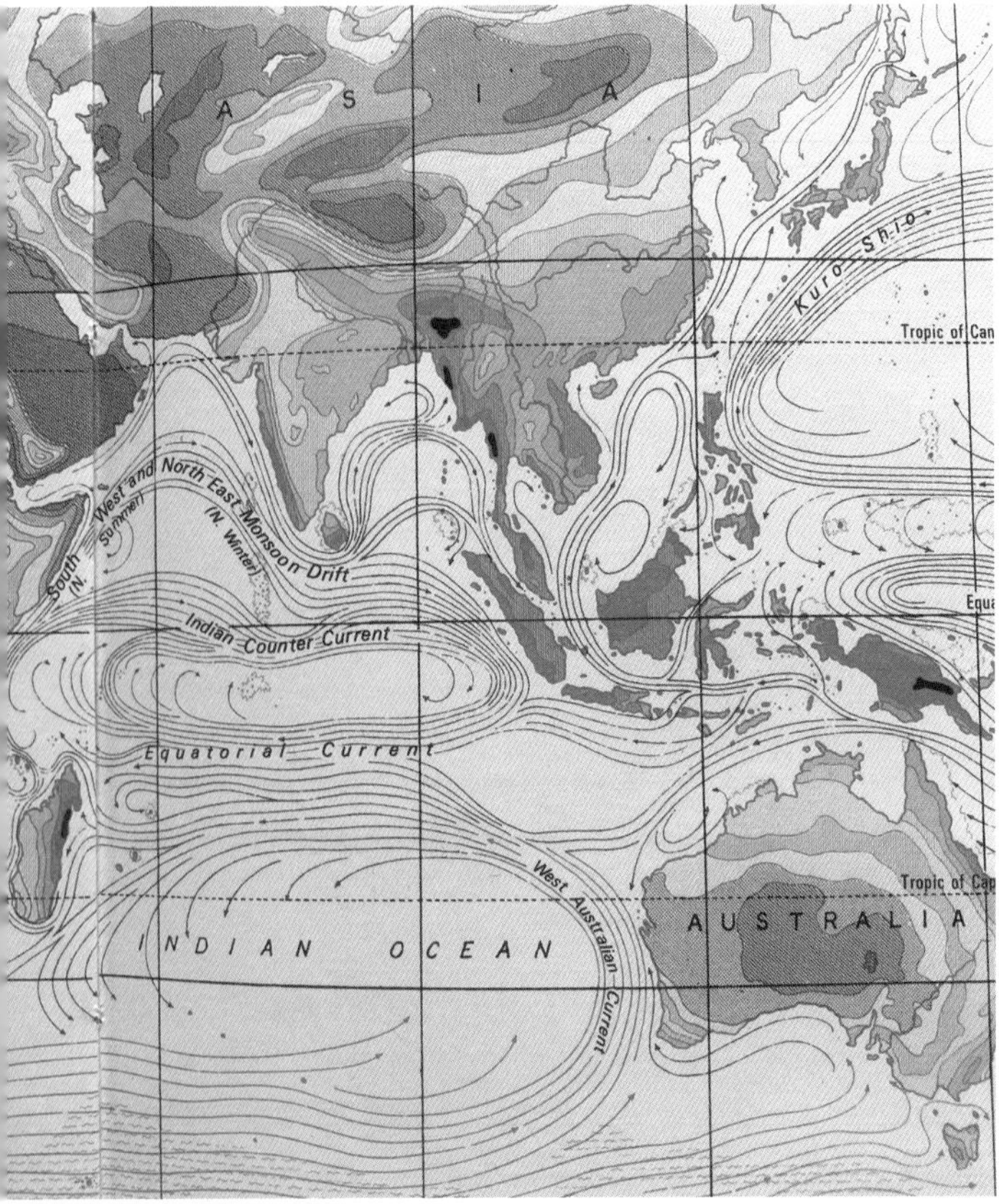
A S I A
Kuro Shio
Tropic of Can
South West and North East Monsoon Drift
(N. Summer)
(N. Winter)
Indian Counter Current
Equatorial Current
Equa
West Australian Current
Tropic of Cap
INDIAN OCEAN
AUSTRALIA

盃状穴石を現代でも使っているお宮

福岡県嘉麻《かま》市にある大分八幡宮。ここは神功皇后が部下の兵と別れた所に建ったお宮という。確かに神功皇后は稚児の応神天皇を籠に入れて、嘉麻の山を越えて大分に抜けたという言い伝えがある。

すると大分という県の名前も神功皇后由来の名前か？　廃藩置県は明治だが、最も由来のある名を選んだのだと思える。

それでは、別れた部下は誰なのか？　神功皇后が渡韓の折に傭兵となり軍勢を支えた山の熊襲の民がいた。天皇家を護る物部の一族である。物部の近衛兵の大将は勝村、勝頼であるが、いざ戦いとなると山の軍勢の加勢が必要となる。神功皇后はその山の軍勢とうまくつき合ってきた。渡韓の兵を集めるために、朝倉秋月の大己貴神社に太刀・鉾を奉納して願いを立てたとある。日本書紀にあるような熊襲の熊鷲と戦ったなどはあるはずがない。戦うは外国の三韓である。逆に加勢を願いにきているはずである。

そんな中で、草の海人らの先鋒の活躍で戦わずして、新羅と百済を下し奉天させたのである。それは、大刀洗などの地名が残るように、星野村の室山熊野神社にあった、4m大の鉄剣の大刀などを持つ日本の熊襲の軍勢を見た新羅らは、すでに戦意をそがれていたのだろう。多々良鉄器は日本にしかないのだから。石上神宮に大刀千本奉納の伝承があるように、物部は鉄器の一族であり巫術の家系でもあった。

前置きが長くなったが、ここ大分《だいぶ》八幡宮（99P以降写真参照）は、祭神に応神天皇を掲げるが、末社に生目神社があり、小さな祠を祀っている。それは八女市の立花町北山で見た生目神社と同じように山の頂上に向けて、階段を作る、ピラミッド型のお宮。宮司さんの話では、頂上には古墳があるが調査はしてないとのこと。生目神社は物部の薬師の宮である。しかもピラミッドの頂上に目玉のある、いわゆる宇宙神ベルを祀るケルトの宮ということにもなるのだ。そして、彼らの祭祀様式である盃状穴が、鳥居の台座にしっかりと刻まれている。

それだけではなく、盃状穴の入った祭祀石を祭壇にしたような置き石がある。書付に、お宮の祭礼で神輿を出すときに、この盃状穴石の上に、一旦神輿をのせて神幸が始まるそうだ。どこかで、見たような光景、そうイギリスのチャールズ皇太子の戴冠式のために、スコットランドから運んできた石を思い出す。それを王座の下にはめ込み、皇太子がこれに腰かけて戴冠するという。この石は「スクーンの石」といい、ケルトの先祖がアイルランドからキンタイア半島に着き、ファーガス・モー・エルクが王となりダルリアダ王国を建国する。その時、このスクーンの石に腰かけたことにより、以後この石がスコットランド王家の守護石となったとある。イギリス王家は紛れもなくケルトの血を引く。

ここ大分神社もやはり同じケルトの血を引く山の軍勢に支えられた神功皇后の御子応神天皇を送り出す、最敬礼の祭礼であったのだろうと思うのである。

大分

ご神幸のとき、一旦神輿をのせる置き石は盃状穴に覆われている。

鳥居の台座の盃状穴

運命の石スクーン石

英国王家では「運命の石」という

頂上への階段

末社となる生目神社（大分神社）

八女市立花町の生目神社ご神体

地元のフィールドワークが楽しくなる！

これで神社巡りがワクワクの連続！

神社の奥に封じ込められた先住民の息吹が今ここに！

八女市黒木町にある北大淵熊野神社。応神天皇を祀るが八幡宮ではない。祭神は伊弉冉尊、速玉之男命、事解之男命の三神である。神の名前に表れている。伊弉冉は日本書紀初元の神であるが速玉は饒速日で事解はフェニキア恵比須族である。故に応神天皇が祭神に祀られているが、いったん本殿の裏に回ると、小さな石造りの祠があり、榊が供えられている。そこには大山祇尊が祀られていた。

大山

福岡県八女市黒木町北大淵　北大淵熊野神社

鬼といわれた山の民のお宮。

阿蘇坂梨に鬼塚地区がある。そこに菅原神社があるが、少し手前に塩井神社という水源神社がある。そこには「鬼の膝つき石」の立て札があり、水源湧水地内に立派な盃状穴岩が座っている（110P以降写真）。

鬼が膝をつくということはケルトが神に祈りを捧げるときの姿である。まさにその風景を地名に残している。

鬼の膝つき石

国造神社の鬼

鬼を祀る恵比須の宮。

福岡県朝倉にある恵蘇八幡宮は斉明天皇の御陵であるが、鬼が鴨居にかみつき、鬼門の方位を遥拝する宮。もともと鬼が夜な夜なお祀りする、朝尚暗き宮で朝倉という地名にもなっている。八幡の名を持つ宮ということは恵我の一族、神功皇后、応神天皇を祀ったのである（113P以降写真）。

恵蘇八幡宮の灯籠の盃状穴

盃状穴を使った海洋民族とそれに寄り添うケルト鉄器族。そこには鬼の彫像が潜んでいた。それだけではなくドラゴンの神紋を掲げ、鬼門を祀る方位を持っている。

そんなお宮が熊本にもある。立福寺伊邪那岐神社といい、日本大地成立の神話で、伊弉諾尊がぬぼこで日本海にごちょごちょとかき回すと、雫が三つ落ちて島ができそれが日本島になったそうな。そんな三ツ島を祀っている。しかしここは海洋民族が井芹川を遡上し見つけた岩清水の源流であった。そしてお宮を立てたが、鬼門を向きドラゴン（羽を持つ）の紋を掲げている。岩清水は今も地域の水道である（116P以降写真）。

伊邪那岐神社　岩清水

伊邪那岐神社の三ツ島

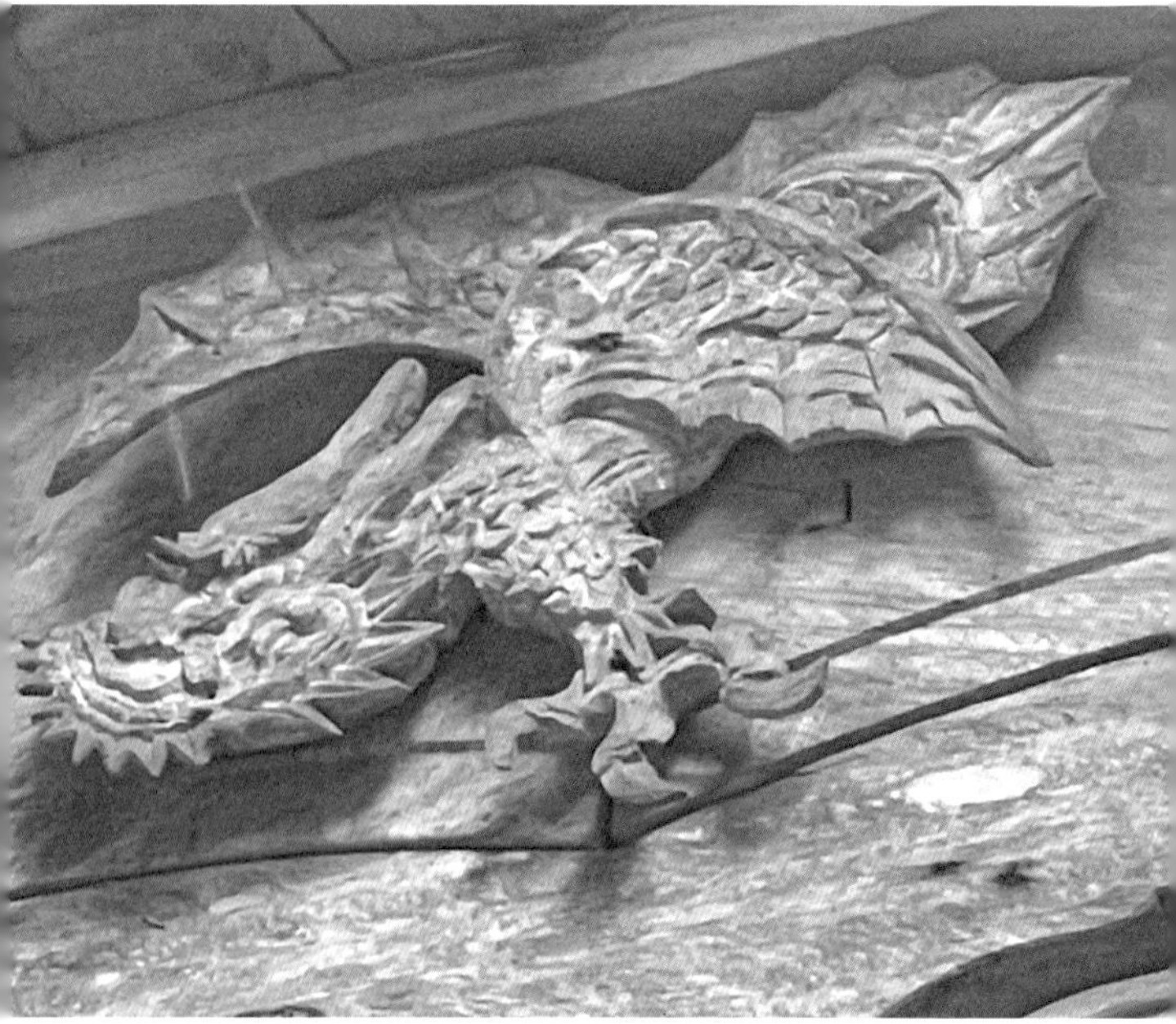

ドラゴンの紋

私が初めて茨城に探査に来たときに、見つけた盃状穴。茨城ではまだここ一つだけだ。

ここは、大甕神社の邪神カカセオ甕星を追ってきた。新ヤマトに反目した外物部・伊奈部・加茂一族はこの一帯を支配していた蝦夷と合流し、三者連合で日本武尊のヤマト軍を迎え撃った。私は大甕神社の宿魂石を最後の拠点とし、日高見の国を守ったと思っている。しかしその石は破壊され三方に飛ばされた。御根磯、遠く静神社、そして久慈川の石神社。

大甕神社の境界石には「布留部由良由良布止留部」のお札が何万と貼ってある。まるでケルトのダグザ神の生死を司る呪文のごとく、物部の生死を司る巫術の呪文である。間違いなく熊襲ケルト物部はここに生きた。そして、宿魂石の飛んで行った行先、石神社に行くことにした（121P以降写真）。

小さな山の祠のような神社だった。車を降りて鳥居に一礼。するとなんということか鳥居の脇にあった小さな蹲に、見事に盃状穴を発見。参加の皆様のテンションアゲアゲ！　しかし茨城ではまだここだけでした。

ゆっくり、息栖神社や香取神宮、鹿島神宮も見たいものだ。

大甕神社の奥宮

境界石のお札

石神社の盃状穴

鉄器を作る鍛冶の菅原道真も鬼の一族。山の菅原神社は盃状穴を祀る。

今も鉄器製造の村にピラミッド山がある。生目神社という。まさにピラミッドの上の一つ目を想起するので探してみた。物部守屋70代末裔である歌手の物部彩花姫をお連れすると、そこは守屋神社の奥宮と同じ磐座を祀る石神様だと言われる。素晴らしい気を発している。別の機会に、TOLAND VLOGのサムさんを案内すると、出かけるときは雨模様だったのに登り始めると雨は上がっていた。そして頂上の磐座に来ると、突然日が差し、磐座を照らした。すると、そこには宇宙神ベルの目玉が刻まれていた。

合祀されるものはなく、ただ牛の座像があるのみ。菅原道真だけは奉祝していた。そして古い蹲に盃状穴があった（125P以降写真）。

生目神社のご神体の岩と道真の牡牛。この時は大きな注連縄でベル神に気づかなかった。

宇宙神ベルを発見した TOLAND VLOG のサムさん！

生目神社の蹲の盃状穴

弘法大使も盃状穴を知っていた。富山の護摩堂にその祭器が残っていた。

空海は遣唐使で島へ渡ったが、私設通訳だったので長安には入れなかった。それが逆に幸いして、長安城外のバザールでフェニキア人と仲良くなったと思う。しかしフェニキアはけっして産地や鉱山、水源の情報を話さないのが民族の決まり事のはず、それを聞き出すだけでなく、おそらくは詳細な地図を手に入れたと思う。勇躍日本へ帰国し、日本の国中に点在する水場、温泉を開いていく。その後ろには金山が眠っていたはず。しかしそれはフェニキア三法、見ざる聞かざる言わざるの三猿。

1万2000年も前から続く民族の祭祀の跡、盃状穴！

どうしても消しされない民族の祈りの形！

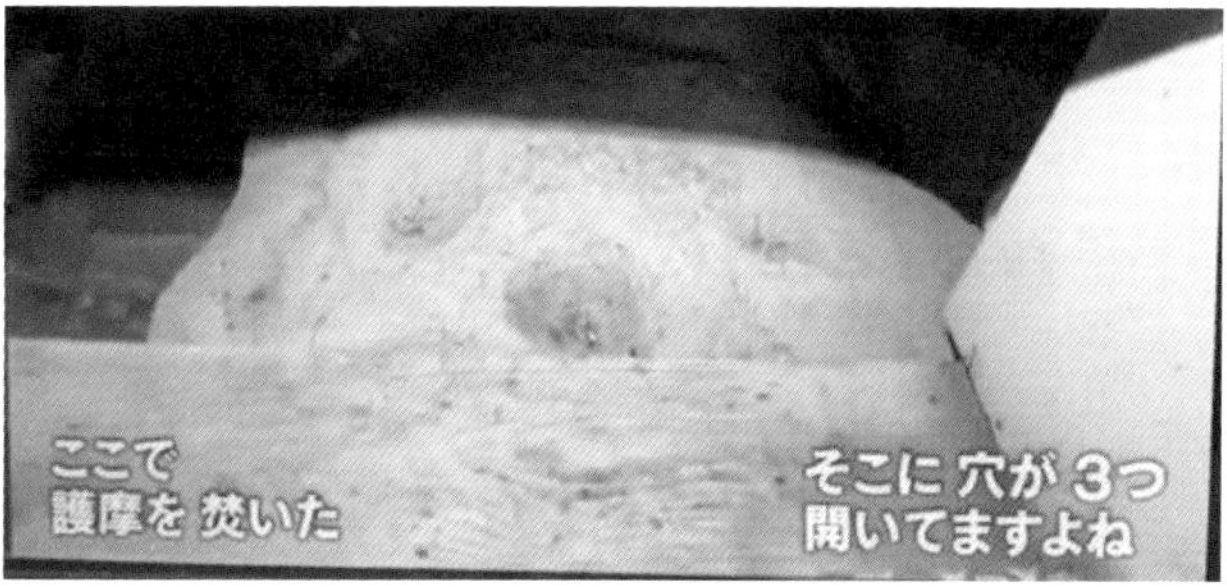
ここで
護摩を 焚いた
そこに 穴が 3つ
開いてますよね

富山県新川郡上市町 護摩堂の祭器

ギョベクリテペ遺跡の盃状穴

盃状穴の見分け方

　神社や遺跡、水源などに行くとあちこちに盃状穴を見つけることができる。するとちょっと穴があると。もう盃状穴ではないかと色めき立つ。しかし、どこにも盃状穴の辞典やガイド本などない。誰に聞くこともできないのが実情である。それは日本では、巨石文化、ペトログリフの学問がなく公的機関がないからである。事実、ペトログリフ専門に研究してきたものは、私と吉田信啓氏だけだった。私は熊本にいて、熊本には盃状穴の数が多く携わる時間が長かったおかげで、盃状穴の言いたいことが手に取るようにわかるのである。

ハワイやヨーロッパでは、ピコといって命の神を意味する。そしてカップ&リングという形が多い。しかし、海洋民族が祭祀に使った思われるものは、お椀型のきれいな円錐型に彫られていて、無数に彫られる。数に制約はないようだ。また古墳の天板に彫られる盃状穴は、異常に多く何を意味するのかまだわかっていない（132P以降写真）。

ハワイのピコ神

マオリの神とピコ神

イングランドのカップ＆リング

神社の階段などに刻まれたものも、その古墳の天板に彫られた無数の盃状穴を石切りして階段に使用したものと、それとは別に階段に直に彫られたものがある。

熊本県玉名市岱明町　四十九池神社

ただ、海で浸食された自然の穴、岩石組成のときに異質の丸石を抱え込んだ岩が、風化してその丸い物質が抜け落ちていって穴が残ることがある。でもよく見ると自然の仕業か人工かは、それを祭祀で使ったものは、きれいに摩耗していて円がきれいである。真円なのである。

海の浸食でできた穴で女石として祀られるが盃状穴ではない。

よく使い込んだ祭器

古代の巨石文化は花崗岩の使用が90％を超える。これは、ハーバード大学の定説でもあるが、ドルメンやメンヒルなどに使用する岩石は花崗岩なのだ。盃状穴の入った石も花崗岩が圧倒的に多い。時に古墳の天板が緑色岩だったり、馬門石だったりすることもある。そして、南阿蘇村の久木野神社の鳥居横にある盃状穴岩はなぜかさざれ石を使っていた。

久木野神社

熊本県阿蘇郡南阿蘇村　久木野神社

天草の姫戸には、直径30㎝ほどの大きな盃状穴を使っている。そして、そこから周囲の岩に開いている穴、やはり直径20㎝ほどのものを星に見立てて位置を示すかのように使っている。

明治になって入会地の堺石に使われている。

見にくいが冬の大三角形。

多くの祭器は据え石であったり、テーブル型の一抱えの石だったりする。例えば空海上人が使った護摩焚き行の祭器のように油か蠟を入れて火をたいた可能性もある。また、お酒を入れて祀るとか、水が聖水に変わる波動の石として使われた可能性も否めない。

とにかく、一度山の神社などに出かけて、盃状穴を探してみてください。見つかる法則がわかるかもしれません。すると、どんなに大きな新しく再建したお宮でも、どこかにそれが残っていることがあるものだ。

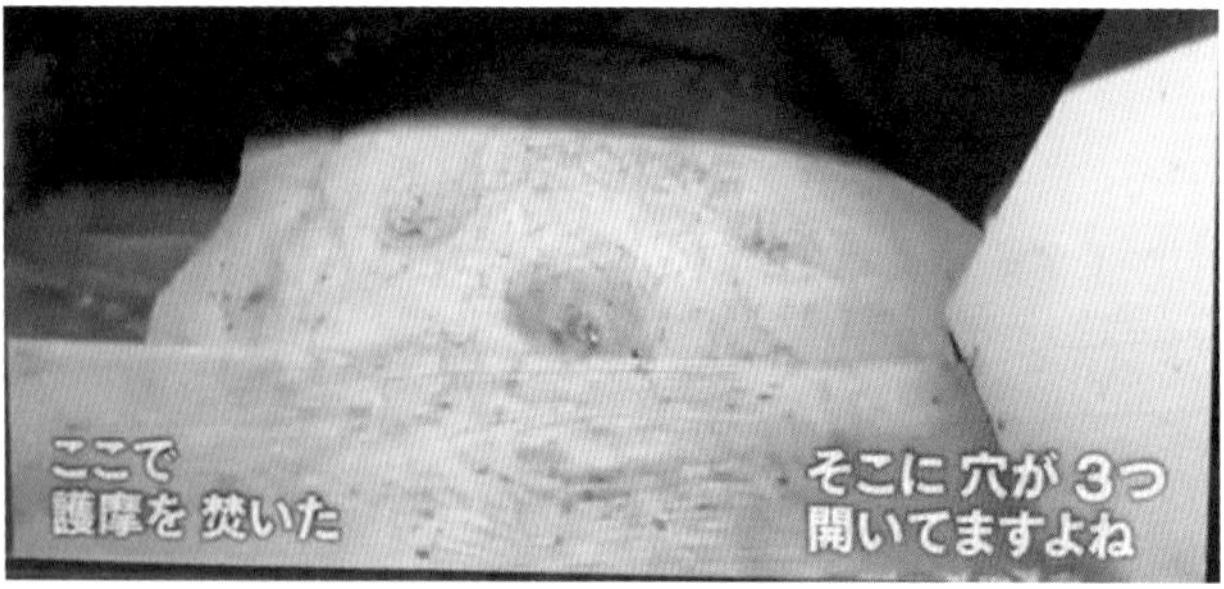
ここで
護摩を 焚いた
そこに 穴が 3つ
開いてますよね

富山県中新川郡 泉護摩堂の御神体

盃状穴のある神社には別の特徴がある

山付きの神社は地元の信仰が厚く古くからの謂れ習慣をよく残している。前述の盃状穴しかりだが、その他に自分たちの民族のアイデンティティや技術の継承などを目的にするのか、いろいろな形をお宮の何処かに残している。それらを見つけるのも面白い。

1）ドラゴン（翼竜）の神紋

熊本市北区北迫町　北迫菅原神社

熊本市北区植木町　有泉太神社

熊本市北区立福寺町　伊邪那岐神社

熊本市北区万楽寺町　万楽寺菅原神社

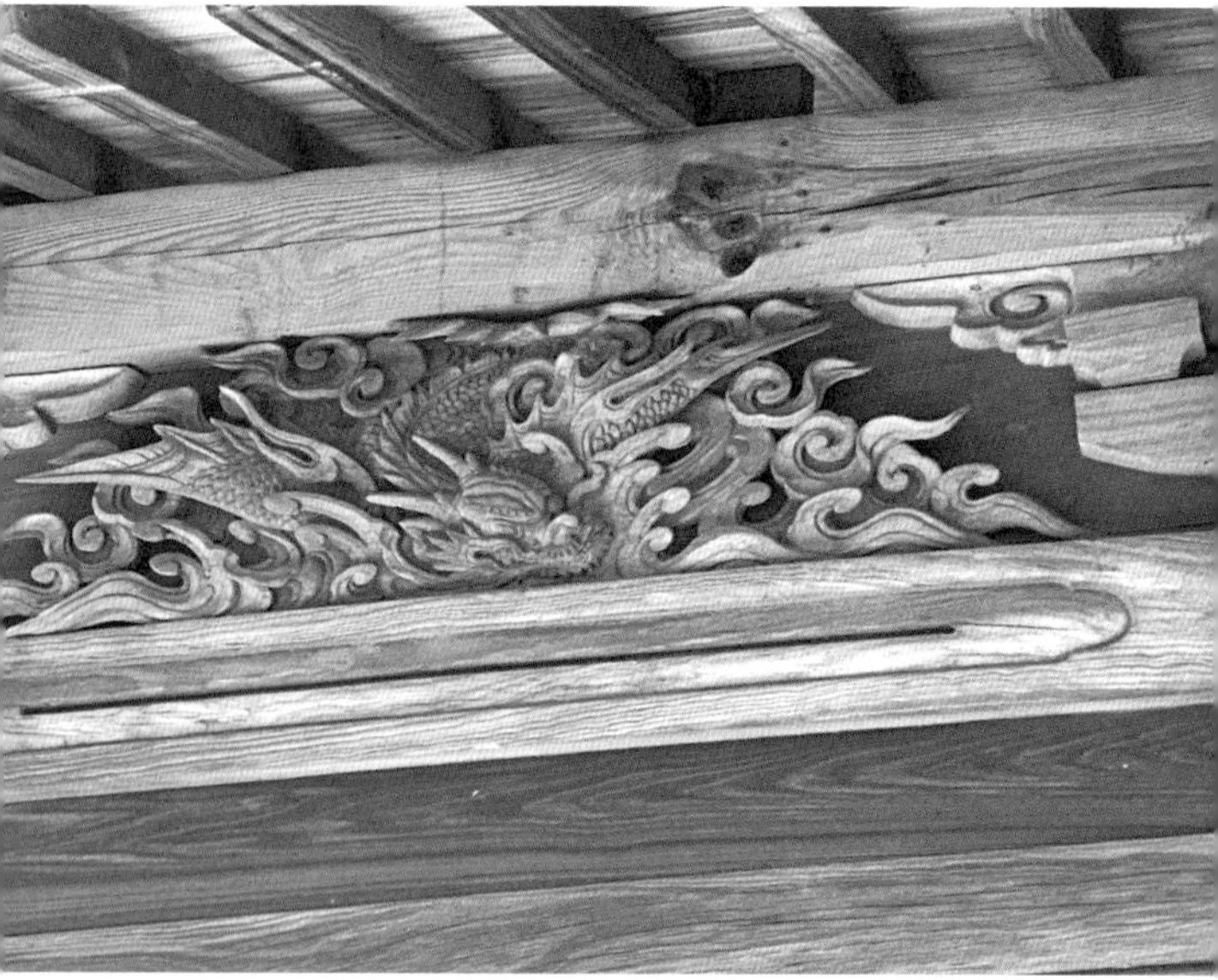

熊本市北区植木町　七國神社

2）梁や柱に鬼の面

福岡県朝倉市　恵蘇八幡宮

福岡県みやま市　釜屋神社東宮

熊本県阿蘇市一の宮町　国造神社

3）ユニコーン（一角獣）

熊本県玉名郡玉東町　山北八幡宮楼門

熊本県玉名郡玉東町　稲佐熊野座神社

大分県日田市　会所（えそ）神社

4）その他の彫刻彫像

熊本市北区植木町豊田 加茂別雷神社 木の実に隠れる妖精？

熊本県人吉市 青井阿蘇神社本殿前の直剣を抱いている竜神。

奈良県天理市布留町 石上神社の直剣を抱くドラゴン。

これらの彫刻彫像は、宮大工や石工鉄器を作る鍛冶を担う民族の仕事である。主に一子相伝といわれるような、技術を代々継承していく一族の仕業。ヤマトや施政者に発注されるお宮にも、自分らのアイデンティティをどこかに残す。そういう矜持を持った一族の仕事であるということでしょう。

このような先住の人たちの思いを拾い上げていくという、まさに真実の歴史を自分の手で掘り起こしていく。贅沢なミステリー探査のチャンスが皆さんの足元に眠っている。一度、覗いてみてはいかがですか。

さあ、このハンドブックを持って近くの神社、山の祠へ探査に出かけましょう。

盃状穴が見つかると幸せな気持ちになり、みんなテンションが上がります。そして、どこかに報告したくなります。

まず、日本巨石研究所のメールに、写真と場所をわかるように明記して送ってください。こちらで真偽を査定し盃状穴と認定されれば地図上にプロットしていきます。その結果などは何らかの書簡に掲載していくか、フェイスブックグループ（Laputa 環太平洋巨石文化研究会）で随時アップしていこうと考えています。


地球に広がる壮大な盃状穴網を作り上げ、１２０００年の海洋民族ラピュタがたどった足取りを知る。これはまさに１万年真水を世界に届けたラピュ夕の夢の広がりかもしれない。

日本巨石文化研究所
所長　武内一忠
Gmail: megalithic.kt@gmail.com
NPO 守ろう・巨石文化と森と水
https://kyoseki.org

あとがき

　本著の校正も終わる頃、私の親しい友人でイングリッシュドクターというラジオのパーソナリーネームを持つ西澤ロイさんから一つの情報が入った。彼は、今年にはいって千葉から福岡県糸島に移住してきた方で、私の影響を受けたのか糸島に来て積極的に神社巡りや古代遺跡をされてました。神社巡りと言っても、御朱印帳集めとかではなくて、すぐ拝殿本殿の周囲を見て回り、何か怪しい物はないかと見てまわるのです。ただ怪しいというのは、お宮の崇拝する信仰とは違った祭器や彫像などがないかということです。その、最も分かりやすいものが盃状穴なのです。それが、どのように掘られているか、何に掘られているかでこのお宮が、先住の民との関係がいかようであったかが覗えるのです。
その西澤ロイさんから一枚の写真が送られてきました。それは、飯盛神社の盃状穴のある石板に盃状穴石という看板を掲げてある写真だった。(写真)
私が盃状穴を知って注目したのは、1993年に国分直一博士の論文記事の中に、韓国の古墳の天板に北斗七星に似せた盃状穴があり、それに似た盃状穴が山口県郷の遺跡の古墳の天板にもあると発表している記事を見た時だった。その後、盃状穴について調べてみたがそのような記事を見つけることができなかった。今のようにネット情報もまだあまりなく、インターネット上を探すくらいでした。ただ、アメリカの岩石芸術学会に出席したときに、アリゾナ大学の研究者から、アメリカの盃状穴 Cup-marks の発表を聞いた。それには盃状穴は2600年前から何か宗教祭祀の様式であろう。との見解を述べられていた。その後、イタリアの研究者の方から、盃状穴は地中海

福岡市西区飯盛　飯盛神社

の海洋民族の中にも盃状穴の穴の中に子供の臍の尾を入れて命の祈願をする風習があることを聞いた。その続きが本書の内容となっているのですが、それがまた新たに西澤ロイさんがその先に進めなければいけないような一枚の情報写真を提供された。一旦消えたかに思えた盃状穴の文字が糸島の文化課は看板に書いている。すぐネットで調べた。

國領駿氏の「盃状穴考―その呪術的造形の追跡」という研究書が1990年刊行で、しかも国分直一先生監修のもとに出版されていた。両氏ともご高齢ですでにお会いすることもかなわず、ただ、国分直一先生の直感的で勇気ある学会への挑戦は、当時の私にも大いに勇気となっていたことは間違いない。

2024／1／8

武内一忠

〈1日目〉 2024年４月16日（火）
◇「拝み石山遺跡 艮のレイライン」ツアー
集合：熊本空港　AM 10：00（予定）
解散：KKR ホテル熊本　PM 17：30（予定）

ツアー申し込み先

〈2日目〉 2024年4月17日（水）
◇「阿蘇の熊襲ケルト」ツアー
集合：KKR ホテル熊本ロビー　AM 7：50（予定）
解散：熊本空港　PM 17：30（予定）

募集人数：15名（最少催行人員10名）
申込み締め切り：４月８日（月） 17：00
※申し込み完了の方へ別途ツアー案内を郵送いたします。
※交通事情等により訪問先の変更もございます。
※費用は集合から解散までの食事代・移動費を含みます。
※費用に含まれないもの
①宿泊費　②熊本空港までの交通費　③食事時の飲物代

〈訪問先〉（予定）

◇1日目

① 拝ヶ石の巨石群（オガミガイシノキョセキグン） ② 伊佐那岐神社 ③ 菱形八幡宮 ④ 横山 鬼のいわや古墳 ⑤ 村吉天神イチイガシ ⑥ 無田原遺跡のストーンサークル ⑦ 初生神社（ウブジンジ） 矢護川公園

◇2日目

① 奈我神社乙姫宮（ナガジンジャオトヒメグウ）（上南部乙姫神社） ② 甑（こしき）神社 ※がらん橋 ③ 免の石（めんのいし） ④ 妙見水源 ⑤ 田楽の里で縄文の食事 ⑥ 上色見熊野座神社（かみしきみくまのざじんじゃ）（裏阿蘇を回って） ⑦ 鬼塚の塩井神社（シオイジンジャ） ⑧ 物部の国造（コクゾウ）神社

お申し込みは詳細はこちら
お問い合わせ先：ヒカルランドパーク
電話：03－5225－2671（平日11時～17時）
Email：info@hikarulandpark.jp
URL：https://hikarulandpark.jp/

武内一忠氏と行く熊本
巨石文明とペトログリフツアー

ナビゲーター：武内一忠　4／16・4／17

これを見ないまま人生を終えては勿体なさすぎます。

改竄の余地のあるさまざまな文献と異なり、巨石とペトログリフは今に伝わる間違いのない歴史的遺物としての文献です。

ホンモノの歴史がここに息づいています。

甑神社の盃状穴

熊本ペトログリフツアーダイジェスト

ついに実現にこぎつけました。

この地日本に、そして世界のあちこちにホンモノの歴史が残っていたという奇跡。

超スペッシャルなツアーへあなたをご案内します。

拝ヶ石の巨石群

〈ツアー２日間〉

日時：2024年４月16日（火）～４月17日（水）
料金：66,000円（税込）
※宿泊費は含まれません。ご宿泊は各自お手配ください。
※推奨宿泊先は KKR ホテル熊本

〈懇親会〉

日時：2024年４月16日　19：00（予定）
会場：お申込みご入金完了後に別途ご案内いたします
料金：8,800円（税込）

武内一忠
超古代巨石文化・ペトログリフ研究家
熊本市在住（大分県日田市出身）1947年３月17日生まれ
JMCL 日本巨石文化研究所　所長
E-mail megalithic.nt.toto@gmail.com

千葉工業大学工業経営学科中退
熊本県立第二高等学校・一回生
元 ARARA アメリカ岩石芸術学会会員
元 日本文化デザイン会議客員講師

〈著書〉
ペトログリフが明かす　超古代文明の起源　玄武書房
真実の歴史　ヒカルランド
〈主な活動〉
1992年／南小国　押戸石山遺跡の磁気異常・シュメール系古拙文字ペトログリフ発見。その夏至線上に河内町　拝み石山遺跡を発見、同時にシュメール系古拙文字と磁気異常も発見。
1993年／第20回アメリカ岩石芸術学会（ネバダ州リノ市）にて上記発見事例を発表。同時にハーバード大学主催アメリカ碑文学会 ESOP（重要研究紀要論文集）に発見者として掲載。／第６回熊本県民文化祭ネオロマンやまがにて「超古代の山鹿を剥ぐ」発表。
1994年／船井総研・船井幸雄さわやか真実セミナーにて講演（県立劇場大ホール）／日本文化デザイン会議 '94福岡（サンパレス福岡）にて浅葉克己氏、日比野克彦氏らと「文字文化の挑戦」で「九州のペトログリフ」を発表。
1993年～1996年　熊本新評に「熊本のペトログリフ」連載
1996年／尚絅大学研究紀要「古代人の住生活と環境」論文掲載／姫戸町町議会にて「天草の古代巨石文化」を講演・白嶽青年の森公園化監修
1997年／西日本新聞社にて「神々の指紋」の著者グラハム・ハンコック氏と対談
2000年／フランス大使館よりフランス国営放送アンテン２の取材依頼
2002年／イギリス大使館カウンシル長官マイケル・バレット氏案内／アイルランド大使館よりアイルランド日本直行便就航における文化交流要請・論文寄稿
2005年／日本いわくら学会宮崎大会西都原にて「九州の巨石文化」発表
2013年／日向市伊勢ケ浜の大御神社の龍神伝説発見
2017年／県立大学日本語研究室主催「世のなごみ」国際会議にて講演

発見して保存しよう
盃状穴（はいじょうけつ）探索ガイドブック

第一刷　2024年4月30日

著者　武内一忠

発行人　石井健資
発行所　株式会社ヒカルランド
〒162-0821 東京都新宿区津久戸町3-11 TH1ビル6F
電話 03-6265-0852　ファックス 03-6265-0853
http://www.hikaruland.co.jp　info@hikaruland.co.jp
振替　00180-8-496587

本文・カバー・製本　中央精版印刷株式会社
DTP　株式会社キャップス
編集担当　川窪彩乃

ISBN978-4-86742-358-5

りーこワケワケ / 古代の Wi-Fi 【ピンク法螺貝】お話会

旅するピンク法螺貝シリーズ、ゲスト回に ペトログリフ研究家・武内 一忠氏が登場！

日　時　**2024**年**6**月**18**日（火）

地　図

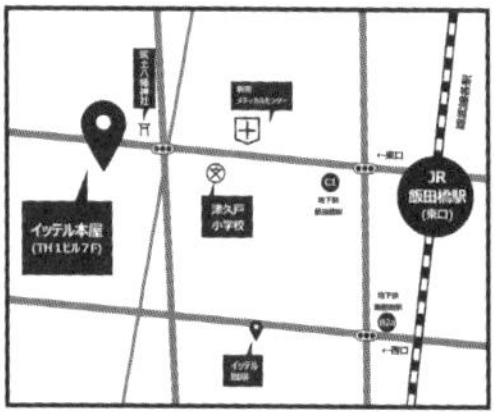

時　間　13:00 ～ 16:00

会　場　イッテル本屋

住　所　新宿区津久戸町 3-11
飯田橋 TH1 ビル 7F

講　師　**りーこワケワケ**
（ピンク法螺貝®創始者）

武内 一忠
（ペトログリフ研究家）

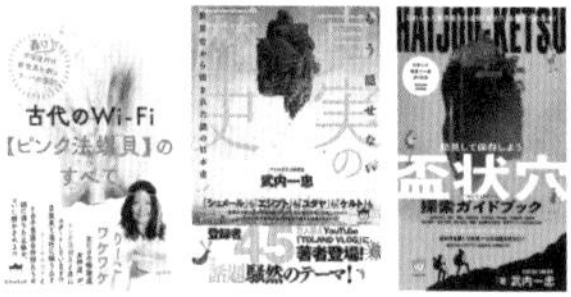

料　金　9,000 円
（税込、事前振込制）

内　容　1996 年から約 25 年の間、貝問屋の倉庫で売れ残っていたピンクの美しい貝、1000 個。それは 2030 年に絶滅すると言われているクイーンコンクシェルだった！　その貝たちを笛に変え、ピンク法螺貝®として世に出した、りーこワケワケさん。ゲストにペトログリフ研究家・武内 一忠先生をお迎えし、ピンク法螺貝とペトログリフの関連を探究します！

主　催　元氣屋イッテル（旧名：神楽坂ヒカルランドみらくる）

H　P　https://kagurazakamiracle.com/

お問合せ　info@hukarurandmarket.com

※イベントの内容は都合により変更または中止する場合がございます。予めご了承ください。

＊ご案内の価格、その他情報は発行日時点のものとなります。

ヒカルランド　好評既刊！

地上の星☆ヒカルランド　銀河より届く愛と叡智の宅配便

もう隠せない
真実の歴史
世界史から消された謎の日本史
著者：武内一忠
四六ソフト　本体 2,500円+税

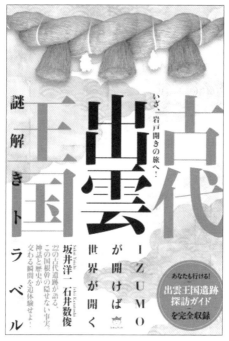